Vamos fazer arte!

© 2011 Igloo Books Ltd
Design por Green Android Ltd
Todos os projetos criados e realizados por Fiona Gowen.

© 2011 desta edição:
Ciranda Cultural Editora e Distribuidora Ltda.
Rua Frederico Bacchin Neto, 140 – cj. 06
Parque dos Príncipes – 05396-100
São Paulo – SP – Brasil

Direção geral Clécia Aragão Buchweitz
Coordenação editorial Jarbas C. Cerino
Assistente editorial Elisângela da Silva
Tradução Fabio Teixeira
Preparação Michele de Souza Lima
Revisão Adriana de Sousa Lima e Vanessa Romualdo Oliveira
Diagramação Luís Felipe Hellt

1ª Edição
www.cirandacultural.com.br

Todos os direitos reservados. Nenhuma parte desta publicação pode ser reproduzida, arquivada em sistema de busca ou transmitida por qualquer meio, seja ele eletrônico, fotocópia, gravação ou outros, sem prévia autorização do detentor dos direitos, e não pode circular encadernada ou encapada de maneira distinta àquela em que foi publicada, ou sem que as mesmas condições sejam impostas aos compradores subsequentes.

Sumário

Materiais e equipamentos	4
Esboçando animais de fazenda	6
Mais animais de fazenda	8
Esboçando animais de estimação	10
Esboçando criaturas do mar	12
Esboçando animais selvagens	14
Esboçando dinossauros	16
Esboçando um rosto	18
Esboçando um palhaço	20
Esboçando um carro esportivo	22
Navio e pirata	24
Castelo e princesa	26
Dragão e cavaleiro	28
Luz e sombra	30
Peixe estilizado	32
Animais estilizados	34
Pintando uma árvore	36
Animais de digitais	38
Capa de livro personalizada	40
Carimbos vegetais	42
Insetos pintados em pedra	44
Asas mágicas	46
Criaturas de respingos de tinta	48
Árvores de tinta respingada	50
Figuras de papel recortado	52
Máscara animal	54
Desenhos de linha contínua	56
Pintura de bolinhas	58
Lápis de cor	60
Reflexos de giz pastel	62
Colagem de jardim	64
Jardim 3-D	66
Cidade 3-D	68
Ovelha de algodão	70
Figuras raspadas	72
Robô caricato	74
Desenhos de rabisco	76
Silhuetas	78
Cores frias e quentes	80
Moldura reciclada	82
Cartões de presente	84
Pintura com tinta e giz de cera	86
Pintura com linhas e pontos	88
Mapa de colagem	90
Imagem com perspectiva	92
Nome estilizado	94
Índice remissivo	96

Vamos fazer arte!

Materiais e equipamentos

Cada projeto deste livro traz uma lista de materiais de que você irá precisar. Muitos deles você já deve ter em casa. Alguns podem ser encontrados em lojas para artesanato ou papelarias. Veja a seguir alguns dos materiais de que você precisa e informações sobre como usá-los.

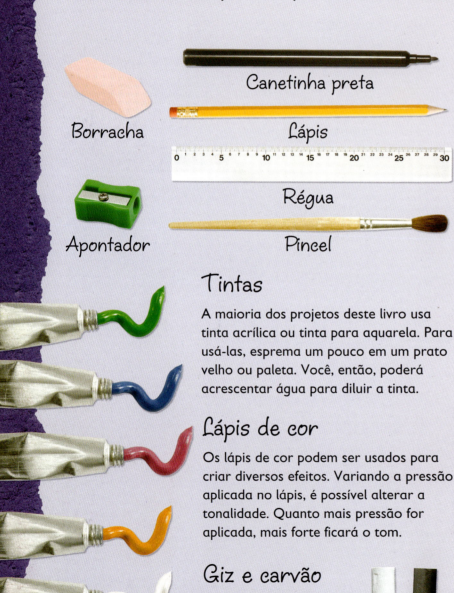

Canetinha preta

Lápis

Régua

Pincel

Borracha

Apontador

Equipamentos básicos

Para a maioria dos projetos deste livro, você irá precisar de uma caneta, lápis, borracha ou pincel. Mantenha seu lápis bem apontado, usando um apontador. Sempre tome o cuidado de limpar seus pincéis quando terminar de usá-los.

Tintas

A maioria dos projetos deste livro usa tinta acrílica ou tinta para aquarela. Para usá-las, esprema um pouco em um prato velho ou paleta. Você, então, poderá acrescentar água para diluir a tinta.

Lápis de cor

Os lápis de cor podem ser usados para criar diversos efeitos. Variando a pressão aplicada no lápis, é possível alterar a tonalidade. Quanto mais pressão for aplicada, mais forte ficará o tom.

Giz e carvão

Giz e carvão para desenho são ótimos para criar rascunhos soltos e vigorosos.

Tintas para caneta

A tinta para caneta é mais fina que as outras tintas para pintura. A maioria delas é vendida em frascos, mas você também poderá usar a tinta do reservatório de uma caneta tinteiro.

Materiais e equipamentos

Canetinhas hidrográficas

As canetinhas hidrográficas são baratas e fáceis de usar. Elas podem realçar tons e são excelentes para fazer imagens vigorosas em pôsteres ou desenhos de quadrinhos.

Giz pastel

Gizes pastel são bem brilhantes e macios. Geralmente, são vendidos em caixas com várias cores.

Giz de cera

Gizes de cera são geralmente vendidos em caixas com várias cores. Eles são baratos e você pode usá-los de formas surpreendentes. Também são resistentes à água, sendo ótimos para efeitos em pinturas com tintas à base de água.

Recortes

Você irá precisar de uma boa tesoura para fazer colagens. Para recortes mais minuciosos, talvez seja melhor usar um estilete. Mas tenha muito cuidado com estiletes, sempre pedindo ajuda para um adulto.

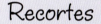

Tesoura   Estilete

Cola

Existem muitos tipos de cola. A cola branca é atóxica e muito forte, é melhor também para papéis delicados. A cola em bastão pode ser usada em papéis mais grossos ou ásperos.

Cola branca   Cola em bastão

Papel

Existem centenas de tipos de papel. Eles podem vir em diversos tamanhos e tonalidades. Para os projetos deste livro, foram usados papéis de seda, kraft e papelão.

Vamos fazer arte!

Esboçando animais de fazenda

Você vai precisar de:

papel   borracha   apontador

lápis

1 Comece o desenho da galinha fazendo uma grande oval para o corpo e um pequeno círculo para a cabeça. Trace linhas para demarcar as patas.

2 Esboce círculos para os joelhos, os pés e a asa da galinha. Faça pequenas linhas para os dedos. Junte a cabeça ao corpo e acrescente o bico, a cauda, a crista e a barbela.

3 Desenhe em volta dos dedos para deixá-los mais grossos. Acima da pata esquerda, desenhe um triângulo para as penas da coxa. Esboce a asa e acrescente plumagem em volta do corpo.

4 Apague as linhas de rascunho e, então, acrescente algumas linhas para dar a textura da plumagem.

Esboçando animais de fazenda

1 Com um lápis, desenhe três círculos grandes e um pequeno. Isso se tornará o corpo do porco. Desenhe linhas para demarcar as patas.

2 Ligue os círculos. Acrescente ombros, quadris e juntas de tornozelo para ajudá-lo nas proporções.

3 Desenhe a cabeça, as pernas e as orelhas do porco.

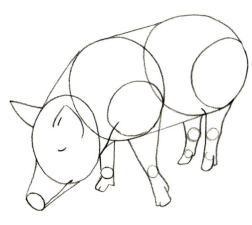

Dica
Use fotos de livros como referência para reproduzir as poses e detalhes corretamente.

4 Apague todas as linhas de rascunho e acerte o desenho. Se necessário, reforce as linhas.

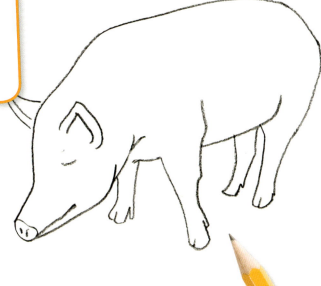

Vamos fazer arte!

Mais animais de fazenda

1 Com um lápis bem apontado, esboce dois círculos grandes, um médio e um pequeno, conforme ilustrado ao lado. Trace linhas para as patas e a cauda do cavalo.

Você vai precisar de:
papel   borracha   apontador
lápis

2 Ligue os círculos para obter a forma básica de cavalo. Acrescente círculos para as juntas das patas e ovais para os cascos.

3 Una as formas para obter o contorno das patas. Desenhe a crina, a cabeça e a cauda.

4 Por fim, apague as linhas de rascunho para deixar o cavalo com um aspecto limpo e arrumado.

Mais animais de fazenda

1 Comece o desenho da vaca traçando um grande retângulo para o corpo, dois círculos para a cabeça e uma oval para o úbere. Acrescente traços para as patas.

2 Ligue os círculos da cabeça e acrescente outros para os joelhos, ombros e quadris.

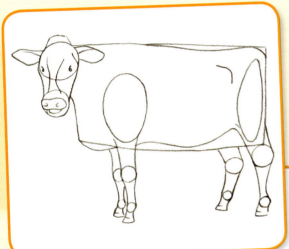

3 Agora, desenhe algumas linhas curvas ao longo do corpo. Acrescente os detalhes da cabeça e orelhas. Crie o contorno das patas a partir das linhas de rascunho.

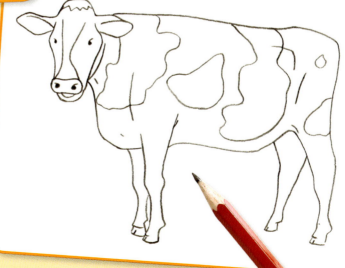

4 Apague as linhas de rascunho. Você poderá fazer uma vaca malhada acrescentando manchas no corpo dela.

Vamos fazer arte!

Esboçando animais de estimação

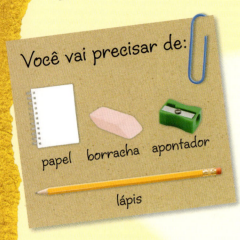

Você vai precisar de:
papel   borracha   apontador
lápis

1 Inicie o desenho do coelho fazendo três ovais, para a cabeça, o peito e o corpo. Trace linhas para demarcar as patas e as orelhas.

2 Acrescente formas para as orelhas e o focinho. Poderá ser útil traçar linhas básicas para as patas antes de desenhar o contorno delas.

3 Ligue as ovais para criar o contorno do coelho. Desenhe os detalhes da cabeça e acrescente a cauda.

4 Apague as linhas de rascunho e faça uma textura ondulada para o pelo. Isso fará com que o coelho pareça fofinho.

Esboçando animais de estimação

1 Use um lápis bem apontado para desenhar este gato. Comece com ovais para a cabeça, o peito e a parte traseira.

2 Ligue as ovais para criar o contorno do corpo. Acrescente o focinho do gato e trace linhas para demarcar as patas.

Dica
Pratique desenhando os seus próprios animais de estimação para reproduzir as proporções corretamente.

3 Agora, termine o contorno do gato desenhando a cauda, as patas, detalhes da cabeça e as orelhas.

4 Apague as linhas de rascunho. Você poderá também acrescentar manchas e listras em seu gato, ou várias linhas onduladas, para deixá-lo com uma pelagem longa.

11

Vamos fazer arte!

Esboçando criaturas do mar

1 Comece desenhando este cavalo-marinho com uma oval para a cabeça e outra menor para o nariz. Desenhe uma linha curva para o corpo e uma espiral para a cauda.

Você vai precisar de:
papel   borracha   apontador
lápis

2 Desenhe outra espiral dentro da primeira para criar a cauda. Trace uma linha curva na parte interna do dorso. Ligue a cabeça ao corpo e ao focinho.

3 Acrescente pequenas saliências nas partes de cima e de trás da cabeça. Faça o olho do cavalo-marinho e adicione uma barbatana em seu dorso.

4 Apague as linhas de rascunho e faça algumas ranhuras ao longo de todo o corpo do animal.

Esboçando criaturas do mar

1 Para desenhar este tubarão--martelo, comece fazendo uma longa oval para o corpo, um retângulo para a cabeça e uma forma curva para a cauda.

2 Adicione um triângulo para a nadadeira superior e algumas formas crescentes para a cauda e outras nadadeiras, como mostra a imagem.

3 Faça uma linha cheia de pequenas ondulações na parte frontal da cabeça e acrescente um olho e a boca. Trace uma linha suave ao longo da lateral do tubarão.

4 Apague as linhas de rascunho e acerte seu desenho. Se necessário, reforce as linhas de contorno.

Dica

Pratique desenhando essas criaturas algumas vezes e, então, crie um grande cenário submarino.

Vamos fazer arte!

Esboçando animais selvagens

Você vai precisar de:
papel, borracha, apontador, lápis

1 Comece o desenho da girafa com um círculo para a cabeça, um para o peito e outro menor para o corpo. Trace linhas para demarcar as patas.

2 Ligue a cabeça ao corpo e faça o focinho da girafa. Acrescente círculos para os ombros, quadris e para todas as juntas das patas.

3 Una os círculos para criar o contorno do corpo da girafa. Faça também olhos, orelhas e chifres.

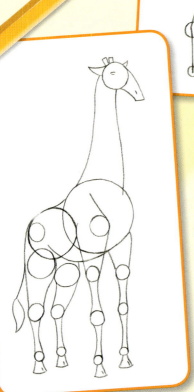

4 Apague as linhas de rascunho. Depois, faça o desenho da pelagem, acrescentando manchas de diversos tamanhos ao longo do corpo.

Esboçando animais selvagens

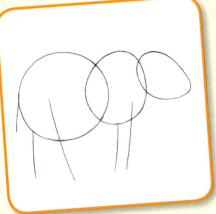

1 Para criar este elefante, use um lápis bem apontado e desenhe ovais para a cabeça, o peito e a parte traseira. Trace linhas para demarcar as patas.

2 Acrescente círculos para os ombros, quadris e juntas das patas.

Dica
Tente desenhar animais quando você for ao zoológico.

3 Ligue as formas para criar o contorno do elefante. Acrescente detalhes para as orelhas, a cabeça, a tromba, as presas e os pés.

4 Apague as linhas de rascunho. Se quiser fazer um elefante mais velho, você pode acrescentar várias rugas.

Vamos fazer arte!

Esboçando dinossauros

Você vai precisar de:

papel   borracha   apontador

lápis

1 Comece o desenho deste Estegossauro com uma oval grande e outra pequena. Trace linhas para demarcar as patas e a cauda.

2 Ligue as duas ovais. Complete a cauda e acrescente placas que se projetam ao longo do dorso. Faça círculos para os ombros, quadris e juntas das patas traseiras e dianteiras.

3 Use as linhas demarcadas para criar o formato das patas. Faça alguns detalhes na cabeça.

4 Apague as linhas de rascunho. Por fim, acrescente algumas rugas na pele.

Esboçando dinossauros

1 Para criar este Tiranossauro rex, comece com uma grande oval e um círculo. Acrescente linhas para demarcar as patas e a cauda.

2 Faça a forma de um bico no círculo. Ligue a cabeça ao corpo. Acrescente juntas na região dos joelhos e tornozelos. Desenhe a cauda curva. Faça pequenas patas dianteiras e trace as linhas básicas para patas traseiras.

3 Trace alguns detalhes da cabeça. Use as linhas demarcadas para criar o contorno das fortes patas traseiras e das pequenas patas dianteiras. Acrescente grandes garras nos dedos das patas traseiras.

4 Apague as linhas de rascunho. Faça algumas rugas no corpo. Não se esqueça de desenhar os dentes afiados na boca desse feroz dinossauro!

17

Vamos fazer arte!

Esboçando um rosto

Você vai precisar de:
papel, borracha, apontador, lápis

1 Com um lápis apontado, comece o desenho traçando uma grande oval.

2 Acrescente duas linhas: uma que cruza a oval no sentido horizontal e outra no sentido vertical.

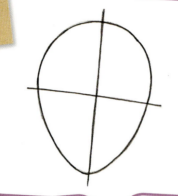

3 Desenhe outra linha horizontal, que cruze o centro da metade inferior da oval. Essa linha servirá para posicionar a parte de baixo do nariz.

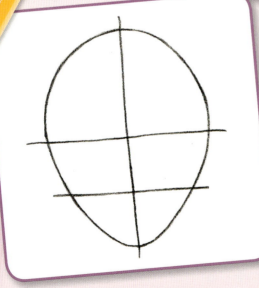

4 Trace outra linha horizontal abaixo da última. Ela demarcará o local da boca.

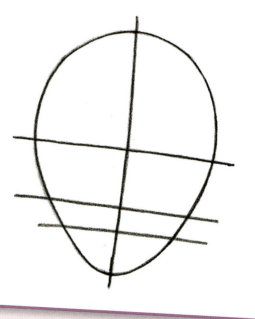

Esboçando um rosto

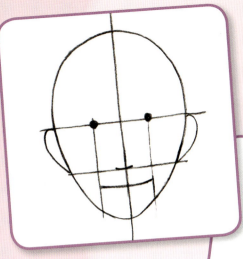

5 Acrescente pontos para os olhos e trace linhas para baixo a partir deles. Elas demarcarão os cantos da boca. Agora, faça o nariz e as orelhas.

6 Desenhe o cabelo e as sobrancelhas.

Dica
Depois de desenhar alguns modelos de rostos, desenhe seus amigos e peça para eles desenharem você.

7 Apague todas as linhas de rascunho para deixar o desenho limpo.

8 Use a mesma técnica para criar outros rostos. Dê uma aparência diferente para cada um deles, usando diversos cortes de cabelo, óculos, acessórios e sorrisos.

Formatos de rostos

Vamos fazer arte!

Esboçando um palhaço

1 Comece o desenho do palhaço com uma linha vertical para o meio do corpo. Acrescente uma oval para a cabeça e uma forma quadrada para o peito.

Você vai precisar de:
papel   borracha   apontador
lápis

2 Acrescente as calças, mangas e um nariz. Trace uma linha cruzando a cabeça. Ela será a aba do chapéu.

3 Desenhe os braços, as luvas, os olhos e os sapatos. Lembre-se de que os palhaços usam sapatos bem grandes!

4 Acrescente uma linha ondulada para deixar as calças do palhaço folgadas. Dê a ele um grande sorriso e uma gravata borboleta.

Esboçando um palhaço

5 Contorne a boca do palhaço para fazer seu sorriso pintado. Faça um caule de flor no chapéu e os detalhes da camisa, calças e sapatos. Desenhe um cabelo maluco no palhaço.

6 Acrescente uma flor no caule do chapéu.

Dica
Tente desenhar uma família inteira de palhaços em um circo!

7 Apague as linhas de rascunho e acerte o palhaço, contornando algumas linhas.

Vamos fazer arte!

Esboçando um carro esportivo

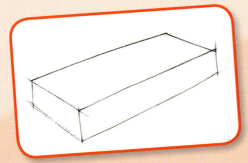

1 Usando um lápis bem apontado, desenhe uma caixa achatada tridimensional. Ela será a base do seu carro.

Você vai precisar de:

papel   borracha   apontador

lápis

2 Na parte de cima da caixa, dê forma ao para-brisa e faça um retângulo para criar o interior do carro.

3 Esboce os arcos das rodas.

4 Arredonde os cantos da caixa para deixar seu carro esportivo com um aspecto elegante.

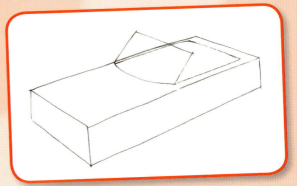

Esboçando um carro esportivo

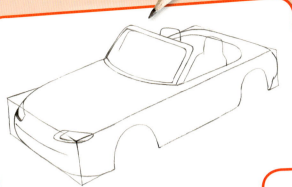

5 Desenhe os faróis e acrescente os bancos. Faça uma margem no para-brisa.

6 Acrescente as rodas. Trace também espelhos retrovisores arredondados.

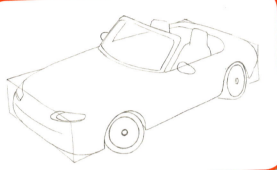

7 Faça os detalhes na lataria do carro, a grade dianteira, portas com maçanetas e luzes de seta. Você também pode acrescentar detalhes nos bancos.

8 Apague todas as linhas de rascunho. Agora, seu carro esportivo está pronto e já pode pegar a estrada!

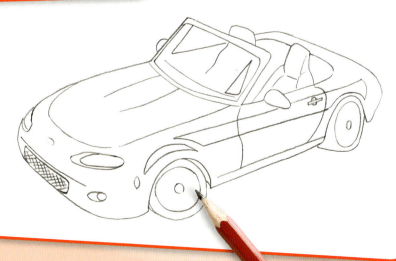

Vamos fazer arte!

Navio e pirata

Você vai precisar de:

papel   borracha   apontador

lápis

1 Desenhe a forma básica do navio pirata. Esboce a cabine na parte de trás e faça três linhas verticais para os mastros.

2 Acrescente uma linha para a água e outra linha curva cortando a parte de baixo. Trace quadradinhos para as aberturas dos canhões. Faça alguns detalhes do convés.

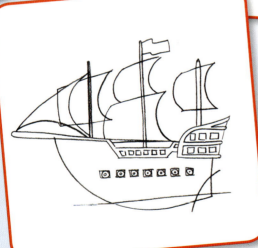

3 Desenhe pequenos círculos nas aberturas dos canhões. Faça as velas com laterais curvas, para mostrar que o vento está soprando. A vela maior fica no meio; as menores, na parte de cima e uma triangular é colocada na frente.

4 Apague todas as linhas de rascunho, deixando seu desenho limpo e pronto para ser colorido.

Navio e pirata

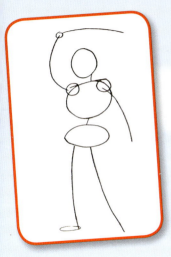

1 Inicie o desenho do pirata com três formas ovais. Faça pequenos círculos para os ombros. Desenhe linhas para demarcar os braços, pernas e a espada.

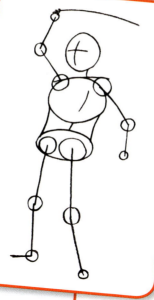

2 Acrescente círculos para os cotovelos, joelhos, mãos e pés. Isso lhe ajudará a saber as proporções certas.

3 Agora, você pode começar a fazer os contornos do pirata, e desenhar o rosto e as roupas dele, como uma camisa larga, um colete e uma perna de pau.

4 Apague as linhas de rascunho e acrescente os últimos detalhes que faltam. Não se esqueça de fazer o tapa-olho!

Vamos fazer arte!

Castelo e princesa

Você vai precisar de:
lápis
papel
borracha
apontador
régua

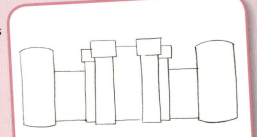

1 Desenhe o castelo usando vários quadrados e retângulos. Se quiser deixá-lo bem retinho, você poderá usar uma régua.

2 Faça uma entrada arqueada e o topo das torres. Use um lápis bem apontado para desenhar formas retangulares acima das torres e dos muros do castelo.

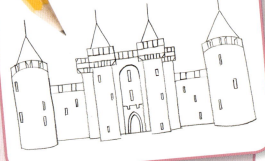

3 Desenhe quadrados nessas formas retangulares. Eles serão as ameias dos muros. Acrescente algumas janelas pelo castelo e mastros no topo das torres.

4 Apague as linhas de rascunho. Desenhe algumas bandeiras e detalhes nos muros. Você poderá acrescentar rachaduras ou trepadeiras para fazer um castelo antigo, ou flores se quiser que tenha a aparência de contos de fadas.

Castelo e princesa

1 Inicie o desenho da princesa com três formas ovais. Acrescente linhas para demarcar os braços e as pernas.

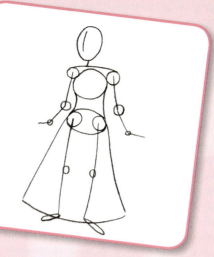

2 Trace círculos para os ombros, cotovelos, joelhos, pés e pulsos. Desenhe uma longa saia sobre as pernas.

3 A partir dos círculos dos cotovelos e ombros, desenhe o contorno dos braços e alguns detalhes básicos do vestido. Esboce o rosto e o cabelo da princesa.

Dica
Peça para alguém fazer pose enquanto você o esboça. Pratique desenhando-o de pé e sentado.

4 Apague as linhas de rascunho e faça os últimos detalhes das roupas e das mãos.

27

Vamos fazer arte!

Dragão e cavaleiro

1 Usando um lápis bem apontado, desenhe quatro círculos e linhas para demarcar as patas, asas e a cauda do dragão.

2 Ligue os círculos para criar a forma do dragão. Acrescente outros para os quadris, ombros, joelhos, tornozelos e articulações das asas.

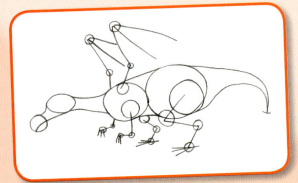

3 Trace levemente o formato das patas e asas. Comece a esboçar os detalhes da cabeça do dragão.

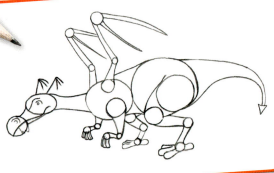

4 Apague todas as linhas de rascunho e faça os detalhes finais, como saliências no dorso, garras, rugas e dentes.

Dragão e cavaleiro

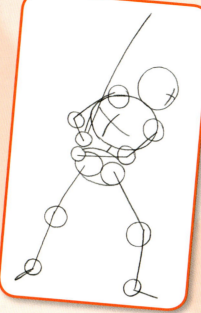

1 Comece o desenho de seu cavaleiro escolhendo uma pose. Esboce círculos para a cabeça e o quadril, além de linhas para demarcar a espada, os braços e as pernas.

2 Acrescente círculos para as juntas. Isso lhe ajudará a reproduzir corretamente as proporções do corpo.

3 Ligue os círculos para criar o contorno do corpo. Faça também as luvas e o elmo.

4 Apague as linhas de rascunho e acrescente frestas no elmo para que o cavaleiro possa enxergar entre elas.

Vamos fazer arte!

Luz e sombra

Você vai precisar de:
papel kraft   maçã   borracha
carvão   giz

1 Use uma luminária de mesa para iluminar um lado de uma maçã. Comece seu desenho com um giz, fazendo a parte mais iluminada da maçã.

2 Desenhe cuidadosamente o resto dos reflexos da maçã. Às vezes, pode ajudar se fechar um olho e observar apenas com o outro, assim você terá uma ideia melhor de onde traçar as linhas dos reflexos.

Você pode usar várias frutas diferentes

 Pera
 Banana
 Ameixa
 Laranja
 Abacaxi

3 Usando o carvão para desenho, faça as partes mais escuras da maçã, onde há sombra.

Luz e sombra

4 Esboce os tons médios usando o giz e o carvão. Você poderá passar o dedo para suavizar os traços e as cores, mas tome cuidado para não esfregar muito, ou o desenho parecerá borrado.

5 Com o carvão, faça a sombra projetada pela maçã. Você poderá usar uma borracha para apagar um pouco do sombreamento na parte inferior da maçã.

Dica
Comece fazendo uma sombra leve, então, lentamente, faça os tons mais escuros.

6 Com cuidado, use a ponta da borracha para deixar o contorno bem definido. Dê uma visão geral na maçã e acrescente qualquer sombra ou reflexo que você achar necessário para fazê-la parecer mais uniforme.

Vamos fazer arte!

Peixe estilizado

1 Use um lápis bem apontado para desenhar o contorno de um peixe com uma cauda grande.

Você vai precisar de:

papel   borracha   apontador

lápis

2 Acrescente uma nadadeira na parte de cima do corpo dele e duas na parte de baixo.

3 A seguir, desenhe o olho e a cabeça. Decore as nadadeiras e a cauda.

Formatos de peixe

4 Desenhe faixas no corpo do peixe. Faça um desenho diferente em cada uma delas.

32

Peixe estilizado

Dica
Observe os desenhos e manchas de peixes tropicais para se inspirar.

5 Acrescente, pouco a pouco, faixas em todo o corpo do peixe. Você também poderá fazer zigue-zagues e linhas onduladas.

6 Desenhe alguns pontos, losangos e triângulos até preencher todo o peixe. Experimente fazer outros formatos de peixes e algumas algas para criar um cenário subaquático.

33

Vamos fazer arte!

Animais estilizados

1 Usando um lápis, desenhe o contorno de uma zebra. Não se esqueça das orelhas, da cauda e da crina. Quando estiver satisfeito com o desenho, contorne-o com uma canetinha preta.

2 Pinte o focinho, os cascos, o contorno do olho e a cauda. Desenhe e pinte um triângulo na ponta da cauda.

3 Desenhe listras separadas por igual em todo o corpo da zebra. Faça listras também nas pernas e na crina.

4 Desenhe mais listras perto das primeiras, tentando fazê-las o mais uniformes possível. Depois, você já pode começar a decorá-las desenhando linhas no sentido oposto.

Animais estilizados

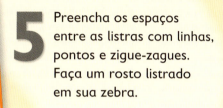

5 Preencha os espaços entre as listras com linhas, pontos e zigue-zagues. Faça um rosto listrado em sua zebra.

6 Por fim, preencha quaisquer outras áreas vazias. Você pode fazer linhas pontilhadas ou pontos em lugares aleatórios. Essa mesma técnica pode ser usada para desenhar outros animais.

35

Vamos fazer arte!

Pintando uma árvore

1 Com um lápis bem apontado, esboce três círculos para a copa e uma forma retangular para o tronco.

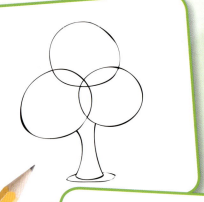

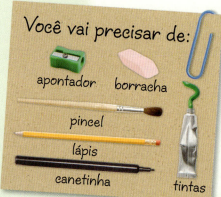

Você vai precisar de:
- apontador
- borracha
- pincel
- lápis
- canetinha
- tintas

2 Usando os círculos como guias, apague as linhas que se sobrepõem e acrescente galhos grossos ao tronco.

3 Faça então galhos menores saindo dos maiores. Essa será a base da sua árvore.

Formatos de árvores

4 Contorne a base. Apague a maior parte dos galhos, mas deixe espaços na folhagem para que alguns deles apareçam.

36

Pintando uma árvore

5 Misture alguns tons de tinta verde e aplique com um pincel uma leve camada sobre a copa da árvore.

6 Acrescente alguns tons mais escuros na pintura.

7 Pinte o tronco de marrom. Deixe algumas partes mais escuras, dando o efeito da sombra. Depois, deixe a pintura secar.

Dica
Leve lápis e papel ao parque para esboçar várias árvores de formatos diferentes.

8 Usando uma caneta, faça o contorno para completar o desenho. Você pode acrescentar grama e alguns pássaros no céu.

Vamos fazer arte!

Animais de digitais

Você vai precisar de:
- papel
- tinta
- lápis branco
- canetinha preta

1 Prepare um pouco de tinta laranja. Pressione seu dedo na solução e, em seguida, sobre um papel – faça isso duas vezes para formar um desenho como este.

2 Quando a tinta estiver seca, use uma canetinha preta para desenhar uma cauda longa e enrolada, uma face, bigodes, orelhas e patas. Pronto! Você tem um gato!

1 Para ter um coelho, prepare um pouco de tinta marrom e faça com sua digital um corpo e uma cabeça pequena.

2 Use um lápis branco para traçar os detalhes da cabeça. Com a canetinha preta, desenhe longas orelhas, as patas e um pompom para a cauda.

Outros animais que você pode fazer

- peixe
- gato
- galinha
- pássaro
- porquinho-da-índia

38

Animais de digitais

Dica
Você pode desenhar os seus animais de estimação ou os de seus amigos.

1 Para fazer um papagaio, passe seu dedo em tinta azul e pinte com a digital um corpo e uma cabeça. Com tinta branca, pinte levemente, com o seu dedo, manchas no peito e na cabeça do papagaio.

2 Use uma canetinha preta para fazer as asas e uma longa cauda. Você pode deixar o pássaro empoleirado ou voando.

1 Para fazer um rato, misture um pouco de tinta marrom e preta. Pinte com sua digital um pequeno corpo e uma cabeça.

2 Com uma canetinha preta, desenhe patas pequenas e orelhas grandes. Não se esqueça de fazer uma cauda grande e ondulada!

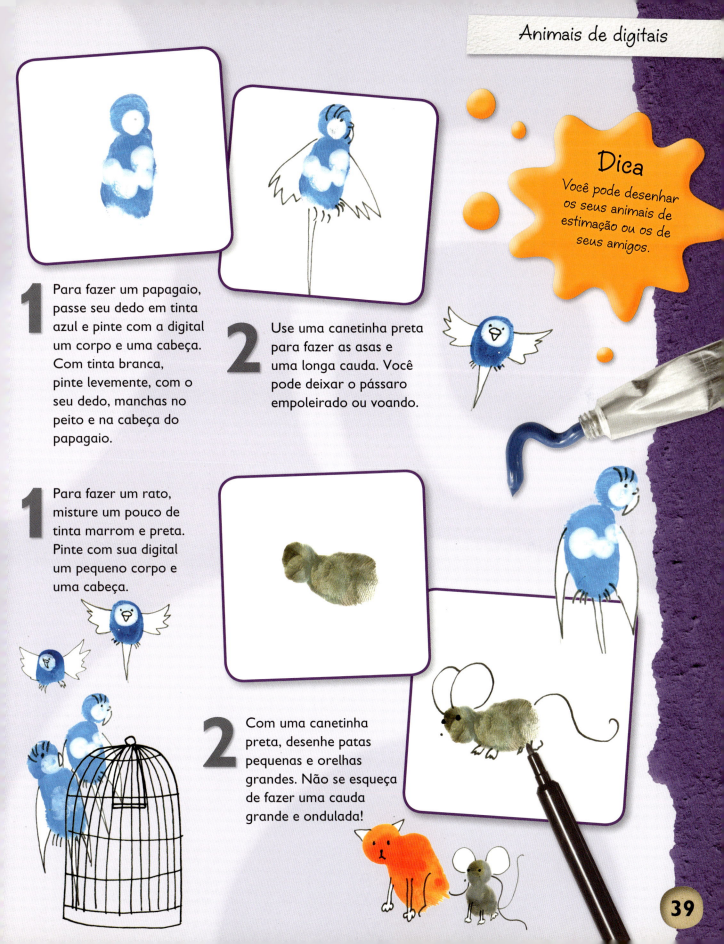

Vamos fazer arte!

Capa de livro personalizada

Você vai precisar de:
- tesoura
- livro
- esponja de cozinha
- papéis coloridos
- tinta

1 Recorte o papel colorido de um tamanho que envolva todo o livro que você quer encapar. Deixe sobrar um pedaço para que possa colocar por dentro da parte da frente e de trás da capa.

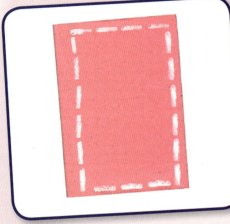

2 Corte a esponja em pequenas tiras. Molhe uma das tiras em uma mistura de tinta acrílica branca e água. Use-a para imprimir uma margem na capa do livro.

Dica
Não acrescente muita água na tinta, senão ela irá encharcar a esponja.

3 Com outra tira de esponja e uma tinta de cor diferente, imprima outra margem dentro daquela que você já fez.

Capa de livro personalizada

4 Enrole uma tira de esponja para fazer uma espiral e fixe-a com fita adesiva. Molhe a espiral em uma de suas tintas e crie um desenho de espirais dentro da margem.

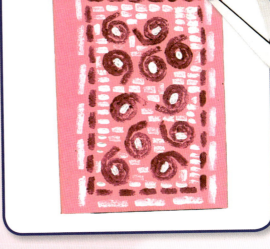

5 Com uma pequena tira de esponja, imprima uma sequência semelhante a tijolos brancos entre as espirais. Também faça pontos brancos no meio de suas espirais.

6 Quando secar, você já poderá colocar a nova capa em seu livro.

Vamos fazer arte!

Carimbos vegetais

Você vai precisar de:
papéis coloridos, tinta, batata, estilete, alho-poró

1 Prepare dois tons de tinta azul. Peça a um adulto para ajudá-lo a cortar um alho-poró ao meio e use cada extremidade redonda para carimbar círculos no papel, alternando as cores.

2 Carimbe várias fileiras, até completar todo o papel.

3 Quando todos os círculos estiverem secos, peça para um adulto cortar, cuidadosamente, uma batata ao meio e, então, recortar um formato de estrela dentro dela. Molhe a batata na tinta branca e carimbe estrelas dentro de cada círculo azul-escuro.

Tente carimbar também com...
Maçã, Cenoura, Batata, Cebola, Aipo, Alho-poró

Carimbos vegetais

4 Depois, lave o carimbo de batata em água morna e, então, seque-o em uma toalha de papel antes de usá-lo para carimbar estrelas escuras nos círculos azuis-claros.

Dica
Não deixe sua tinta muito espessa, ou você mal conseguirá ver o desenho estampado pelo alho-poró.

5 Use seu papel artesanal para empacotar um presente para alguém especial.

Vamos fazer arte!

Insetos pintados em pedra

1 Encontre uma pedra lisa e redonda. É uma boa ideia lavá-la com água e sabão e, então, secá-la.

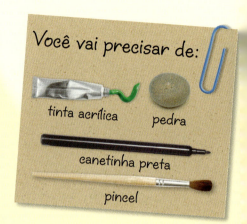

Você vai precisar de:
tinta acrílica
pedra
canetinha preta
pincel

2 Usando tinta acrílica não diluída, pinte cuidadosamente uma camada base na pedra. Deixe secar.

3 Use tinta acrílica preta (ou uma canetinha preta) para desenhar a cabeça e uma linha ao longo do dorso.

4 Agora, faça um desenho em todo o inseto.

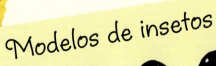

Modelos de insetos

Insetos pintados em pedra

5 Usando tinta acrílica branca não diluída, faça os olhos do seu inseto.

6 Alguns insetos têm pintas, e outros possuem listras. É divertido fazer vários desenhos e formatos diferentes.

Dica
Sempre use tinta não diluída de cores fortes, assim, a cor da pedra não aparecerá.

7 Você pode usar seus insetos como peso de papel, ou decorar seu jardim com eles!

Vamos fazer arte!

Asas mágicas

Você vai precisar de:
- papel
- tinta
- pincel

1 Dobre ao meio uma folha de papel branco.

2 Goteje um pouco de tinta em uma das metades do papel. Não use muita tinta, senão ela deixará o papel encharcado.

3 Usando um pincel, crie um formato de asa a partir das gotas. Então, misture todas elas.

4 Dobre o papel ao meio outra vez. Pressione-o firmemente, para que a tinta se espalhe na metade branca. Abra o papel para revelar a borboleta!

Asas mágicas

5 Use o mesmo método para pintar outros insetos. Você pode tentar fazer uma libélula com asas azuis e brancas, como esta da imagem.

6 Deixe a tinta secar e, então, acrescente um pouco de tinta verde no meio para fazer o corpo. Dobre o papel novamente e a sua libélula estará pronta!

47

Vamos fazer arte!

Criaturas de respingos de tinta

Você vai precisar de:
- tinta branca
- tinta de caneta
- canetinha preta
- canudo
- papel
- pincel

1 Goteje um pouco de tinta de caneta no papel branco. Misture-a com um pincel, certificando-se de que esteja bem líquida.

2 Faça uma grande mancha com a tinta e, então, goteje uma outra, de cor diferente.

3 Usando o canudo, sopre a tinta para fora da mancha, e espere secar.

Dica
Para projetos como este, que fazem mais sujeira, cubra a mesa com jornal velho antes de começar.

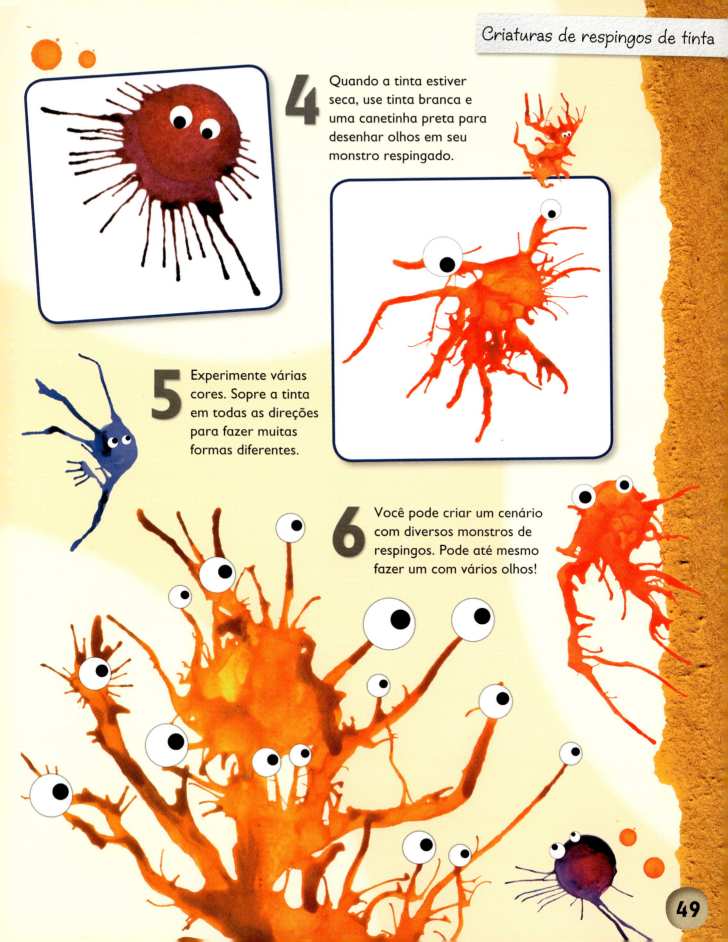

Criaturas de respingos de tinta

4 Quando a tinta estiver seca, use tinta branca e uma canetinha preta para desenhar olhos em seu monstro respingado.

5 Experimente várias cores. Sopre a tinta em todas as direções para fazer muitas formas diferentes.

6 Você pode criar um cenário com diversos monstros de respingos. Pode até mesmo fazer um com vários olhos!

Vamos fazer arte!

Árvores de tinta respingada

Você vai precisar de:
papel, tinta de caneta, tesoura, lápis de cor, cola, canudo

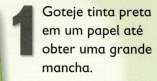

1 Goteje tinta preta em um papel até obter uma grande mancha.

2 Com cuidado, use um canudo para soprar a tinta em várias direções. Esta forma se tornará o tronco da árvore.

3 Continue soprando com o canudo para fazer pequenos galhos a partir do tronco principal (talvez você precise acrescentar mais tinta).

Dica
Use objetos diferentes para soprar, talvez papel enrolado ou até mesmo seu punho!

Árvores de tinta respingada

4 Enquanto deixa a tinta secar, pinte folhas de árvore em outro pedaço de papel usando lápis de cor verde, e recorte-as.

5 Cole a quantidade de folhas que desejar nos galhos da sua árvore.

6 Você pode usar folhas verdes para uma árvore primaveril, ou marrons e laranjas para indicar o outono.

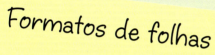
Formatos de folhas

51

Vamos fazer arte!

Figuras de papel recortado

Você vai precisar de:

tesoura   papéis coloridos   cola

1 Peça para um adulto ajudá-lo a cortar várias formas diferentes de papel colorido.

2 Comece a fazer um barco colando uma forma semelhante a um quadrado em um papel branco.

3 Use uma forma ondulada para criar a água. Cole-a sobre a forma do barco para deixá-lo como se estivesse navegando.

4 Com dois quadrados de cores e tamanhos diferentes, faça uma cabine com uma pequena janela quadrada.

Figuras de papel recortado

5 Use outro quadrado para criar a chaminé. Cole pequenos círculos para fazer as escotilhas.

6 Agora, coloque uma bandeira na popa do barco e sua figura está pronta. Quais outras figuras você consegue fazer com formas de papel recortado?

Vamos fazer arte!

Máscara animal

Você vai precisar de:
- prato de papel
- papéis coloridos
- estilete
- papéis de seda
- cola
- caneta

1 Para essa máscara, o prato de papel deve ser grande e sem imagens.

2 Usando a canetinha preta, desenhe a face do animal no prato.

3 Comece a colar tiras de papel de seda em sua máscara. Passe a cola direto no prato e, então, pressione o papel.

Dica
Você pode colar a máscara em um espeto de madeira para segurá-la na frente de seu rosto.

Máscara animal

4 Cubra o prato inteiro com o papel de seda, sem deixar nenhuma parte branca aparecendo. É preciso conseguir ver o rosto que desenhou. Caso contrário, esboce-o levemente por cima.

5 Acrescente detalhes à máscara colando formas de papel colorido para fazer as orelhas, o focinho e a boca.

6 Por fim, peça para um adulto ajudá-lo a recortar os olhos da máscara. Você também pode fazer máscaras de outros animais.

Vamos fazer arte!

Desenhos de linha contínua

Você vai precisar de:
papel   borracha   apontador
lápis

1 Para desenhos de linha contínua, o lápis deve ser mantido no papel. Inicie fazendo um poste de luz e acrescente placas de sinalização.

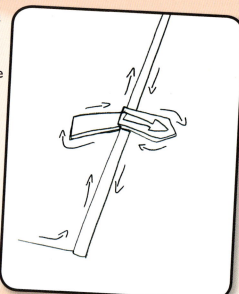

2 No topo do poste, desenhe uma nuvem no céu. Comece pela parte de cima e volte desenhando a parte de baixo.

3 Continue pelo resto da página, fazendo elementos de primeiro plano, como um ciclista e um semáforo. Não se esqueça de incluir as dobras da roupa do ciclista e os raios das rodas.

Dica
Se tirar o lápis do papel, coloque-o de volta no ponto que você parou e, então, prossiga desenhando.

Desenhos de linha contínua

4 Depois de terminar o ciclista, desenhe prédios com várias janelas. Acrescentar detalhes ao redor do prédio o ajudará a desenvolver e enriquecer seu desenho.

5 Tente também incluir detalhes como símbolos ou letras em placas.

6 Quando estiver satisfeito com seu desenho, retire o lápis do papel. A irregularidade das linhas torna seu desenho único. Não se preocupe em deixá-las perfeitas.

57

Vamos fazer arte!

Pintura de bolinhas

Você vai precisar de:
tinta   papéis coloridos
lápis   cotonetes

1 Desenhe a lápis uma figura simples de um parque e uma lagoa em uma grande folha de papel colorido.

2 Molhe a ponta de um cotonete com tinta. Use pontos brancos para fazer as nuvens e laranjas para os peixes. Se pressionar mais forte, os pontos serão maiores. Tente usar pontos de tamanhos diferentes.

Dica
Não dilua muito a tinta, ou ela encharcará o papel.

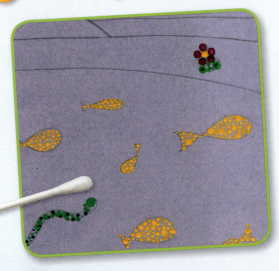

3 Acrescente algumas flores coloridas e outras criaturas.

4 Use pontos azuis de diferentes tonalidades para preencher o lago.

58

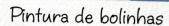
Pintura de bolinhas

5 Use dois tons de azul-claro para o céu.

6 Termine a pintura preenchendo todo o papel com pontos. Acrescente alguns pontinhos brancos no lago para dar o efeito de reflexos.

Vamos fazer arte!

Lápis de cor

Você vai precisar de:
- apontador
- borracha
- lápis
- lápis de cor

1 Com um lápis bem apontado, esboce o desenho ao lado. Não aperte muito o lápis, para não fazer marcas no papel.

2 Usando um lápis verde, comece pintando a grama e as árvores. Para um acabamento uniforme, passe o lápis em diferentes direções.

3 Para obter texturas diferentes nas árvores, use dois ou mais tons de verde e amarelo. Tente pintar levemente para, aos poucos, desenvolver o desenho.

4 Para a pipa, use uma mistura de vermelho, laranja e amarelo.

Lápis de cor

Dica
Deixe seu lápis bem apontado para conseguir linhas precisas.

5 Pinte a grama com lápis de tons verdes. Pinte o contorno da colina de verde-escuro para dar a textura. Então, pinte a garotinha.

6 Acrescente mais texturas com espirais, pontos e linhas. Preencha as partes menores do desenho.

7 Trace a linha da pipa usando um lápis com a ponta bem fina. Tente usar vários lápis diferentes para dar vida à pintura.

8 Usando a lateral de um lápis azul, pinte o céu. Depois, apague um pouco do céu azul com uma borracha para criar as nuvens.

Vamos fazer arte!

Reflexos de giz pastel

Você vai precisar de:
- colher
- papel
- tinta
- gizes pastel
- pincel

1 Usando gizes pastel, desenhe três cascos de barcos em um papel branco.

2 Com um giz pastel branco, desenhe o horizonte, algumas nuvens, fumaça e pássaros. Nessa fase, pode ser um pouco difícil ver a pintura, já que o giz pastel e o papel são brancos.

3 Dobre seu papel na linha do horizonte. Usando as costas de uma colher, friccione firmemente por todo o papel. O giz pastel irá decalcar a imagem de um lado do papel para o outro.

Você pode tentar fazer...

animais em um lago

uma praia tropical

uma cidade perto de um rio

Reflexos de giz pastel

4 Abra seu papel e, usando um pincel grande, pinte todo o céu de amarelo vivo para que seja uma tarde ensolarada.

5 Lave o pincel e deixe a pintura secar. Na metade inferior do papel, pinte o mar de azul. Seus navios estão prontos para navegar o oceano.

Dica

Certifique-se de friccionar bem com a colher para conseguir um bom decalque de giz pastel.

Vamos fazer arte!

Colagem de jardim

Você vai precisar de:
papel   tesoura
lápis de cor
canetinha preta   cola

1 Pinte blocos de figuras em um papel usando diversos lápis de cor. Desenhe gramados, asas, um tronco de árvore, folhas e um pássaro.

2 Peça para um adulto ajudá-lo a recortar, usando a tesoura. Faça várias formas para montar um desenho grande.

3 Monte árvores e pássaros com as formas recortadas. Cole as folhas verdes na árvore e as lâminas de grama ao longo da parte inferior do papel.

4 Desenhe caules de flores com folhas verdes em outro pedaço de papel e recorte-os.

Colagem de jardim

Dica
Experimente fazer combinações de cores diferentes para os pássaros e as flores.

5 Faça algumas flores em papel colorido desenhando círculos e espirais.

6 Você pode fazer mais flores sobrepondo diferentes formas de papel.

7 Recorte as flores e cole-as no topo dos caules.

8 Por fim, acrescente as flores ao cenário para completar o jardim.

Vamos fazer arte!

Jardim 3-D

1 Para fazer este jardim 3-D, faça dois modelos diferentes em papel-cartão. Um será para a camada de cima, e o outro para a de baixo.

2 Certifique-se de que elas se sobrepõem para dar um aspecto dramático à figura.

3 Peça para um adulto ajudá-lo a recortar esses modelos usando uma tesoura ou um estilete.

4 Com cuidado, cole em cada modelo uma tonalidade de papel de seda verde. Esses modelos serão as camadas do jardim. Cubra outro pedaço de papel-cartão com papel de seda azul para fazer o céu.

Jardim 3-D

5 Vire os pedaços de papel-cartão e apare o papel de seda que esteja sobrando nas margens e no meio. Cole um pedaço de papelão em cada canto da parte de trás.

6 Sobreponha os modelos de papel-cartão e cole uma camada sobre a outra nos pedaços de papelão. Isso dará um aspecto tridimensional à figura.

Dica
O papel de seda rasga facilmente, por isso tenha cuidado ao trabalhar com ele.

7 Faça alguns pássaros e flores em pedaços de papel separados, recorte e cole-os em cada camada para fazer um belo jardim colorido. Você pode usar essa mesma técnica para fazer lindos cartões e presentear quem gosta.

Vamos fazer arte!

Cidade 3-D

Você vai precisar de:
- papelão
- papéis de seda
- cola
- canetinha preta
- canetinhas coloridas
- tesoura

1 Desenhe no papelão alguns arranha-céus com a canetinha preta e recorte-os.

2 Faça também construções menores, como casas, lojas, prefeituras e blocos de apartamentos.

3 Desenhe e recorte coisas que há nas ruas, como árvores, carros, caminhões e semáforos.

Formatos de prédios

4 Para colorir algumas de suas janelas, você pode colar papel de seda ou pintá-las com canetinha.

68

Cidade 3-D

5 Use papel de seda ou canetinha para colorir também as portas.

6 Faça mais alguns prédios usando papel de embrulho.

7 Cole todos os seus prédios juntos, colocando os mais altos na parte de trás e os carros e árvores na frente. Você pode fazer o céu e a estrada com papel-cartão coberto de papel de seda. Por fim, faça algumas nuvens com papel quadriculado.

Vamos fazer arte!

Ovelha de algodão

Você vai precisar de:
- canetinha preta
- papel de seda
- algodão
- cola
- papéis coloridos
- papelão

1 Rasgue duas folhas grandes de papel colorido azul e verde para que tenham o formato de colinas.

2 Cuidadosamente, trace o formato das colinas no papelão. Em seguida, recorte as formas e cole nelas o papel colorido.

Dica
Pratique desenhar montinhos de grama nas colinas com uma caneta preta.

3 Cole as colinas para montar um cenário, deixando a azul no fundo para dar a impressão de que está distante.

Ovelha de algodão

4 Cole bolas de algodão nas colinas. Coloque as bolas maiores na colina da frente, corte-as na metade para a colina do meio e faça pequenas bolinhas para a colina do fundo.

5 Desenhe patas e cabeças para transformar as bolas de algodão em ovelhas. Você pode desenhá-las olhando umas para as outras ou comendo grama.

6 Você também pode fazer um fundo com papel de seda azul-claro para imitar o céu.

71

Vamos fazer arte!

Figuras raspadas

1 Escolha uma folha de papel colorido – cartolina seria o ideal para este projeto.

Você vai precisar de:
papéis coloridos
tinta acrílica preta
chave de fenda
gizes pastel
pincel

2 Use os gizes pastel para pintar áreas de cores diversas em todo o papel.

Dica
Não raspe muito forte, ou você removerá a cor do giz pastel.

3 Pinte uma grossa camada de tinta acrílica preta sobre o papel pintado com giz pastel. A tinta não pode estar muito diluída.

4 Cubra a folha inteira, certificando-se de aplicar a tinta por igual. Espere secar completamente.

Figuras raspadas

5 Desenhe uma espaçonave usando a chave de fenda para remover cuidadosamente a tinta e revelar a pintura de giz pastel embaixo dela.

6 Crie alguns cometas, estrelas e planetas. Se você errar, pinte seu erro com a tinta acrílica preta e comece outra vez.

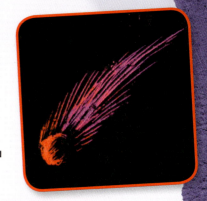

Vamos fazer arte!

Robô caricato

Você vai precisar de:
papel
canetinha

1 Usando uma canetinha, desenhe um quadrado para o corpo do robô. Este será o ponto de partida para todo o resto.

2 Acrescente retângulos menores e outras partes. Não se preocupe se as linhas ficarem um pouco irregulares.

3 Continue acrescentando retângulos e outras formas.

Formatos de robôs

4 Desenhe várias linhas e pontos para dar a impressão de que seu robô é feito de placas e parafusos de metal.

Robô caricato

Dica
Observe uma máquina velha. Você pode se inspirar nela para fazer seu desenho.

5 Acrescente braços longos e ondulados. Faça vários botões e luzes — que podem ser apenas círculos. Para luzes piscantes, desenhe tracinhos em volta delas.

6 Faça mãos em seu robô. Este aqui tem dois tipos de mãos. Ele também tem rodinhas para se locomover.

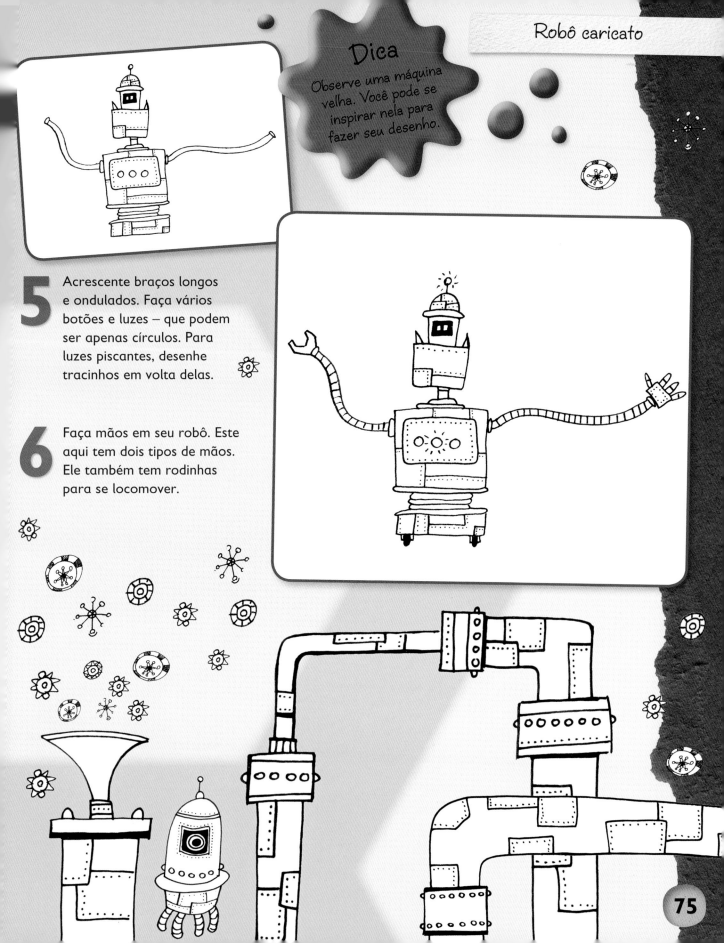

Vamos fazer arte!

Desenhos de rabisco

Você vai precisar de:
tinta   borracha   apontador
lápis
lápis de cor

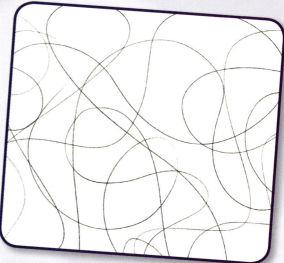

1 Desenhe linhas retorcidas por toda a folha de papel.

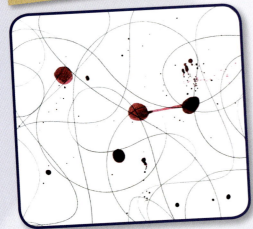

2 Coloque algumas gotas de tinta de caneta no papel – tente deixá-las o mais irregulares possível.

Você pode tentar...

3 Quando a tinta estiver seca, procure padrões e formas dentro do seu desenho. Usando lápis de cor, comece a preencher os espaços.

Desenhos de rabisco

4 Ao usar várias tonalidades de azul para as formas de fundo, o desenho ficará parecendo peixes na água.

5 Quando tiver preenchido o desenho todo, procure as formas que se parecem com peixes e acrescente olhos para destacá-las.

Dica
Use cores diferentes em formas próximas para criar um efeito de retalhos colados.

Vamos fazer arte!

Silhuetas

Você vai precisar de:
papel preto papel laranja cola lápis branco tesoura

1 Usando um lápis branco bem apontado, desenhe o contorno de um castelo assombrado. Faça nele várias torres pontudas e janelas.

2 Peça para um adulto ajudá-lo a recortar cuidadosamente o castelo.

3 Recorte as janelas do castelo e cole por trás pedacinhos de papel laranja para dar a impressão de que há luzes acesas.

4 Com um lápis branco, desenhe vários morcegos em uma folha de papel preto.

78

Silhuetas

Dica
Guarde as sobras dos recortes de papel preto para fazer morcegos, árvores e lápides.

5 Recorte os morcegos com cuidado. No cenário, os maiores parecerão mais próximos, e os menores, mais distantes.

6 Usando a mesma técnica, faça várias outras formas de papel preto, como árvores e lápides arrepiantes.

7 Você também poderá fazer pequenas casas para colocar próximas ao castelo assombrado.

8 Cole as figuras em uma folha de papel branco. Se quiser um cenário ainda mais assombroso, cole-as em uma folha azul-escura.

79

Vamos fazer arte!

Cores frias e quentes

Você vai precisar de: papéis coloridos, papéis de seda, tesoura, lápis de cor, cola

1 Usando um lápis azul-claro, desenhe um penhasco de gelo azul em papel branco. Certifique-se de deixar uma boa parte do branco aparecendo.

2 Peça para um adulto recortar o penhasco cuidadosamente, para que você possa montar o seu cenário. Cole atrás do penhasco papel azul-escuro para o mar e azul-claro para o céu.

3 Rasgue pedaços de papel de seda branco para fazer as nuvens. Cole-os no céu. Eles podem se sobrepor para dar textura.

4 Faça alguns pinguins de colagem para viverem na paisagem congelada.

80

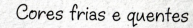

Cores frias e quentes

1 Em um pedaço de papel laranja-escuro, desenhe três pirâmides com lápis amarelo-claro. Recorte as pirâmides cuidadosamente e reserve-as.

2 Em um papel amarelo-claro, desenhe uma linha para fazer o horizonte pouco acima da metade da página. Pinte levemente de laranja a parte inferior e cole as pirâmides no cenário.

3 Rasgue finas tiras de papel de seda amarelo e cole-as no céu. Estas nuvens delgadas no alto deixarão o céu quente mais iluminado.

4 Com lápis amarelo e marrom, desenhe alguns dromedários em papel marrom-avermelhado. Recorte e cole-os na quente paisagem desértica.

Vamos fazer arte!

Moldura reciclada

Você vai precisar de:
- cola branca
- papelão
- papéis de seda
- régua
- estilete

1 Comece a fazer sua moldura desenhando um modelo como este em um pedaço de papelão.

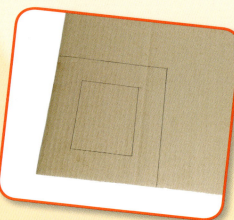

2 Peça para um adulto ajudá-lo a recortar seu modelo usando uma régua resistente e o estilete.

3 Faça cinco dessas formas no total. Você também precisará de um pedaço de papelão para o fundo.

Dica
Espere a cola secar entre uma camada e outra de papel de seda antes de colar outras.

Moldura reciclada

4 Cole os cinco pedaços de papelão um sobre o outro.

5 Use papel de seda e cola branca para decorar. Cole algumas camadas a mais para dar textura à moldura.

6 Quando a moldura estiver seca, cole um desenho, ou uma foto, em um pedaço de papel-cartão e fixe-o com fita adesiva no fundo.

83

Vamos fazer arte!

Cartões de presente

Você vai precisar de: cola, tesoura, feltro, papéis de seda, régua, lápis, papel-cartão, papel colorido

1 Dobre cuidadosamente um pedaço de papel-cartão ao meio. Pressione firmemente para obter uma boa dobra.

2 Peça para um adulto ajudá-lo a recortar cuidadosamente um pedaço de papel de cor viva um pouco maior que o papel-cartão dobrado.

3 Cole camadas de papel de seda no pedaço de papel colorido.

4 Desenhe um retângulo um pouco menor que o papel-cartão dobrado na parte de trás do papel colorido. Peça para um adulto recortar esse retângulo.

Cartões de presente

5 Cole o papel colorido na frente do papel-cartão dobrado. Esse será o plano de fundo do cartão.

Feliz Aniversário

6 Desenhe uma grande forma de balão em feltro vermelho. Acrescente uma mensagem dentro. Peça para um adulto recortar esse balão.

7 Cole o balão na frente do cartão. Você pode ainda fazer mais balões de papel e acrescentá-los ao cartão.

85

Vamos fazer arte!

Pintura com tinta e giz de cera

Você vai precisar de:
pincel
tinta aquarela
gizes de cera
lápis

1 Use um lápis bem apontado para desenhar um cenário de oceano. Tenha cuidado para não pressionar muito forte o lápis.

2 Quando terminar de desenhar o cenário, comece a pintar com giz de cera. Figuras grandes precisarão de contornos brancos e grossos.

Dica
Não dilua muito a tinta, ou ela irá invadir a pintura de giz de cera.

3 Pinte os peixes usando gizes de cera de cores vivas. Tente aplicar a maior quantidade de giz de cera possível.

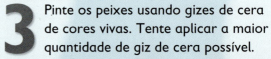

Pintura com tinta e giz de cera

4 Prepare a tinta aquarela e pinte o mar. A pintura com giz de cera irá resistir à tinta e as cores ficarão aparecendo.

5 Pinte o céu com azul-claro e o leito do mar com um marrom-amarelado. Você terá de esperar a tinta secar para ver seu desenho pronto.

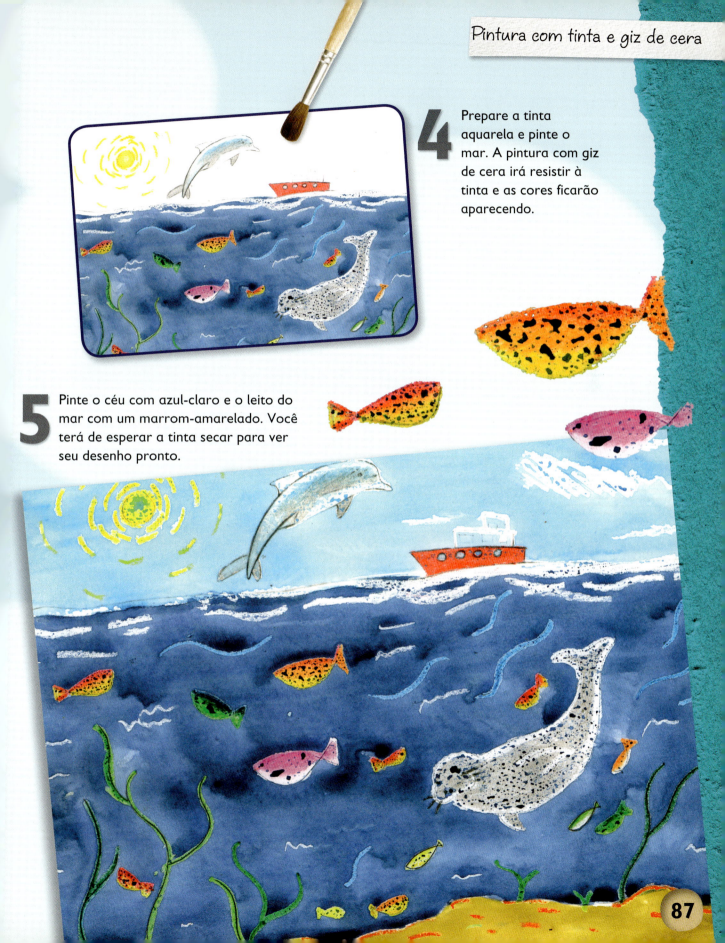

Vamos fazer arte!

Pintura com linhas e pontos

1 Em um pedaço de papel branco, desenhe o contorno de uma árvore usando um lápis verde bem apontado.

Você vai precisar de:

papel   borracha   apontador

lápis de cor

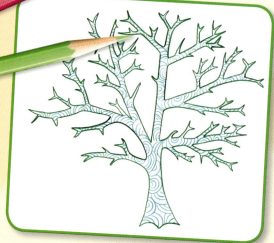

2 Use um lápis azul bem apontado para fazer linhas sequenciais no interior da árvore.

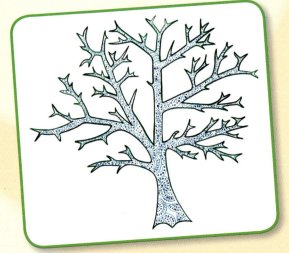

3 Depois, acrescente vários pontos roxos. Certifique-se de que seu lápis está com a ponta bem fina para obter um ponto pequeno e preciso.

4 Desenhe folhas nos galhos com um lápis verde claro.

Pintura com linhas e pontos

Dica
Não pressione demais os lápis — as pontas podem quebrar facilmente!

5 Decore o cenário com várias flores, feitas com diferentes formas internas para dar um ar de primavera ao desenho.

6 Você também pode acrescentar nuvens feitas de vários círculos.

Vamos fazer arte!

Mapa de colagem

Você vai precisar de:
papéis coloridos
tesoura
canetinhas
lápis branco
cola

1 Em uma folha de papel preto, desenhe algumas ruas com um lápis branco.

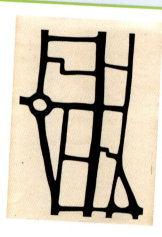

2 Peça para um adulto ajudá-lo a recortar as ruas, com cuidado, usando uma tesoura. Cole-as em um pedaço de papel.

Dica
Procure um mapa do seu bairro e faça uma colagem das ruas ao redor da sua casa.

3 Use papel verde para fazer as áreas cobertas de grama e papel azul para rios e lagoas.

4 Desenhe várias casas diferentes em papel marrom. Use canetinhas para decorá-las.

Mapa de colagem

5 Desenhe também alguns prédios, como restaurantes, bibliotecas e prefeituras. Faça algumas árvores e arbustos.

6 Por fim, organize tudo cuidadosamente e cole no mapa.

Vamos fazer arte!

Imagem com perspectiva

1 Usando um lápis, faça um desenho de colinas e montanhas em uma folha de papel branco.

Você vai precisar de:
apontador   borracha   tinta
pincel
lápis

2 Misture tinta verde com uma boa quantidade de água. Use este líquido verde para as montanhas do fundo.

3 Acrescente um pouco mais de tinta verde à mistura. Use-a para as colinas do plano médio.

4 Em seguida, coloque mais tinta verde na mistura e complete as camadas das montanhas.

92

Imagem com perspectiva

5 Então, acrescente mais tinta e pinte a camada seguinte de colinas.

6 Ao se aproximar das colinas em primeiro plano, seria uma boa ideia usar um pincel maior para que a pintura não fique listrada.

7 Pinte a parte da frente do chão com o verde mais escuro. As tonalidades diferentes dão perspectiva à pintura.

Dica

Quando estiver pintando áreas grandes, seja rápido, senão a tinta seca e sua pintura fica com um contorno marcado.

8 Dê os toques finais fazendo uma árvore, um lago e o céu.

93

Vamos fazer arte!

Nome estilizado

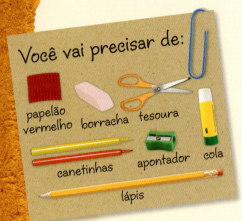

1 Escreva seu nome a lápis, cuidadosamente, em um pedaço de papel.

2 Desenhe um contorno em volta de cada letra. Deixe-as com tamanhos diferentes.

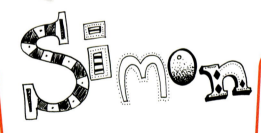

3 Preencha as letras com pontos, linhas, listras e rabiscos.

4 Use canetinhas de várias cores para decorar cada letra. Faça mais listras, quadrados e pontos.

Nome estilizado

Dica
Observe os diferentes estilos de letras usados em revistas, pôsteres e livros.

5 Desenhe uma moldura em papelão, na qual caiba seu nome. A seguir, recorte-a com cuidado.

6 Cole a moldura na margem do papel em que está o seu nome. Depois, pendure na parede para que todos vejam.

Vamos fazer arte!

Índice remissivo

árvores de tinta respingada, 50-51
asas mágicas, 46-47

capa de livro, 40-41
carimbos vegetais, 42-43
carimbo de esponja, 40, 41
cartões de presente, 84-85
carvão para desenho, 4, 30-31
castelo e princesa, 26-27
colagem de jardim, 64-65
cores frias e quentes, 80-81
criaturas de respingos de tinta, 48-49

desenhos de linha contínua, 56-57
desenhos com linhas e pontos, 32-35, 88-89
dragão e cavaleiro, 28-29

esboçando
    animais de estimação, 10-11
    animais de fazenda, 6-9
    animais selvagens, 14-15
    carro esportivo, 22-23
    criaturas do mar, 12-13
    dinossauros, 16-17
    palhaço, 20-21
    rostos, 18-19

figuras 3-D
    cidade 3-D, 68-69
    jardim 3-D, 66-67
figuras de papel recortado, 52-53

giz de cera, 4-5, 30-31
giz pastel, 62-63, 72-73

insetos de pedra, 44-45

luz e sombra, 30-31

mapa de colagem, 90-91
máscaras, 54-55
materiais, 4-5

moldura reciclada, 82-83

navio e pirata, 24-25
nome estilizado, 94-95

ovelha de algodão, 70-71

perspectiva, 92-93
pintando uma árvore, 36-37
pintura
    com tinta e giz de cera, 86-87
    de bolinhas, 58-59
    de digitais, 38-39

rabiscos, 76-77
robôs, 74-75

silhuetas, 78-79

tinta raspada e giz pastel, 72-73
tinta soprada, 50-51